LLYFR BACH
Nadolig

Ⓗ 2020 Elinor Wyn Reynolds / Cyhoeddiadau Barddas Ⓗ
Hawlfraint y cerddi: y beirdd
Hawlfraint y ffotograffau:
t. 23: Ⓗ Kristina Banholzer; tt. 19, 27, 41, 68, 69: Ⓗ Sioned Birchall;
t. 35: Ⓗ Betsan Evans; t. 59: Ⓗ Martin Crampin;
tt. 11, 12, 20, 39, 49, 65, 72: Ⓗ Iestyn Hughes;
t. 47: Ⓗ Tom Meaker/Alamy Stock Photo; tt. 33, 51: Ⓗ Emyr Young
Daw gweddill y lluniau o iStock a chasgliadau personol
y golygydd, y cyfranwyr a'r cyhoeddwr.

Argraffiad cyntaf: 2020
ISBN: 978-1-911584-40-7

Cyhoeddwyd gan Gyhoeddiadau Barddas
www.barddas.cymru
Cyhoeddwyd gyda chymorth ariannol Cyngor Llyfrau Cymru

Dyluniwyd gan Olwen Fowler
Argraffwyd gan Wasg Gomer, Llandysul.

LLYFR BACH
Nadolig

gol. ELINOR WYN REYNOLDS

Cyhoeddiadau
barddas

Cynnwys

Rhyw damed o ragymadrodd bach i'r

Nadolig...

"Dyw Siôn Corn byth yn dod â beth wy moyn i fi.' Sgwrs ges i ganol haf gyda merch ddeng mlwydd oed a ni'n dwy'n eistedd yn llygad yr haul. 'Ofynnes i am ffon hud llynedd, ti'n gwbod, un sy'n neud majic iawn. 'Wedodd Mam a Dad nad o'dd e'n gallu dod â dim byd fel 'na. Wy wedi gofyn am gynffon môr-forwyn hefyd, 'wedon nhw nad o'dd un o'r rheina gyda fe chwaith.' Am siom. Ond mae hi'n dal i obeithio, ac wy mor falch. Roedd ei llais yn llawn golau pefriog, achos ma wastad blwyddyn nesa ... ma Sara'n gwybod hynny.

Es i i deimlo'n reit freuddwydiol ar ôl mynd adre a daeth atgofion Nadoligau a fu i lifo 'nôl. Nadoligau plentyndod, pan oedd y disgwyl yn ddigon i wneud i rywun fyrsto. Roedd amser yn arafu tua dechrau mis Rhagfyr – edrychai diwedd y mis yn fan amhosibl i'w gyrraedd. Y peth am y Nadolig *yw'r* disgwyl, y ffaelu aros, y cyfri dyddie, y defodau a'r traddodiadau hefyd, ond yn bennaf, y disgwyl.

Yna, jyst fel 'na, mae'n ddydd Nadolig! Fe gyrhaeddodd, yn sydyn, do, fel huddyg i botes ... A'r anrhegion ... O! yr anrhegion; yn rhai gwych a gwael, yn bethe doniol ac yn rhai defnyddiol. Yr hosan lawn hyd at ei hymyl yn gorwedd yn dew a diog ar waelod y gwely yn gwmws fel neidr wedi byta buwch. Y cwrdd dros frecwast a dymuno 'Dolig llawen!' Y chwerthin, y rhannu, y joio, y mynd am dro wedi cinio a dymuno cyfarchion yr ŵyl i bob un, y setlo gyda siocled i wylio rhyw ffilm neu'i gilydd. A thra bo'r holl gabwsh a'r miri'n digwydd, yn dawel bach fel sibrwd, y mae'r cloc yn dal i dipian ac amser yn dal i gerdded, a'r un nifer o funudau sydd i'r diwrnod hyfryd hwn hefyd, cofiwch, er ein bod ni'n dymuno iddo bara am byth ... pedair awr ar hugain yn unig gewch chi ... a mwya sydyn, daw i ben gyda chymysgedd o siom a boddhad. A dyna ni wedyn, yn cychwyn ar flwyddyn arall o ddisgwyl, sbo.

Wrth i ni edrych yn ôl dros Nadoligau'r blynyddoedd, mae pob un wedi'i lapio am ein cof fel papur lliw prydferth, haenen ar ben haenen denau o atgofion, a'r haenau hynny'n gwneud y cofio'n gymaint melysach, yn brofiad hiraethus, atgofus, synhwyrus. Ydyn ni'n gosod yr un addurniadau ar y goeden o flwyddyn i flwyddyn? Oes yna gerddoriaeth sy'n cael ei chwarae rownd y ril dros yr ŵyl i ddeffro hen atgofion am donau a ffol-di-rols cyfarwydd? Ydyn ni'n gloddesta ar fwyd sy'n codi chwant am ddoe?

Hyd yn oed fel oedolyn, y mae hud i'r Nadolig. Nid dim ond y neges rymus o obaith, o eni o'r newydd ac o adnewyddu, ond hefyd y ffaith ein bod ni'n gweld y byd o'n cwmpas yn carlamu tua therfyn blwyddyn arall ac yna, mwya sydyn, mae'n arafu a chymryd anadl, yn mynnu hoe, ac mae hynny'n beth arbennig. Ac yn sydyn, daw dechrau blwyddyn newydd a chyfle i ddechrau eto a rhoi siot arall arni.

Mae gennym ni oll Nadoligau ein plentyndod gaiff eu rhedeg eto fel *cine-film* hen ffasiwn yn y cof, ynghyd â Nadoligau fel oedolion pan welwn ni olau gobeithiol yn llygaid y plant a chofio am y rhai nad ydyn nhw yma i ddathlu eleni. Mae goleuadau'r canhwyllau'n cadw'r nos hyd braich am ychydig, yn ein cofleidio ni a'n tynnu ni'n gwmni agosach: fe swatiwn yn y tŷ yn gynnes yng nghwmni'n gilydd.

Ond er mwyn eich helpu chi i gyfri'r dyddie ac i hastu'r amser, dyma gasgliad o bethe pert i'ch diddanu tan ddydd Nadolig: cerddi, darnau o ryddiaith, atgofion ac ambell i ddanteithyn amheuthun i'ch bodloni. Pedwar peth hyfryd ar hugain yn gwmws fel calendr Adfent.

Glywch chi sŵn y clychau? Welwch chi'r mellt yn gwreichioni a tharanu o garnau'r ceirw ar doeon y tai? Mae hi bron â bod yn Nadolig!

Elinor Wyn Reynolds

Caseg eira

Flynyddoedd maith yn ôl oedd hyn
pan oedd Rhagfyr yn Rhagfyr gwyn:
rhedyn a phinwydd yn batrwm rhew
ar ffenest y bore, a'r anadl yn dew.

Y dre wedi'i chau gan dywydd mawr
a'r Gwyliau yn un â llonyddwch y llawr
a dim yn galw ond mynd am dro
i lawr at y bont a'i hafon dan glo.

Y bryniau a'r topiau'n eu capiau gwlân
a'r ffyrdd yn sgarffiau o eira mân;
côt newydd sbon gan yr ywen ddu
a siwgr eisin ar do pob tŷ.

Ar lwybr y goedwig, gwasgu llond llaw
yn belen dynn a'i bwydo draw
o wth i wth, o luwch i luwch,
a'r gaseg o hyd yn tyfu'n uwch.

Flynyddoedd yn ôl, mae'n saff ichi, pan
oedd te cegin orau a marsipán
a sgwrs o flaen tân a lleuad wen
a'r stori'n chwyddo o hyd yn fy mhen.

Myrddin ap Dafydd

Bar Bach,
nos Wener ola' cyn Dolig

Mae hi'n dywyll am dri, y golau hyd y stryd
yn aur a gwyrdd a glas drwy stremps y glaw.

Uwch y bar mae arwydd 'siaredir Cymraeg yma', y teledu'n
dangos sioe am brynu tai mewn mannau gwledig.

Ac mae gan y bobl blant yn byw'n y Wirral,
yng Nghaerdydd. Maen nhw'n chwilio

am gardiau cyfarch Cymraeg. Yn chwilio am
Elf sy'n medru treiglo. Am bwdin Dolig rhad.

Heno, mi fydd fama'n stemio, yn chwys
a chotiau gwlyb a Wham! Tacsis ar y Maes

yn dod â'r plant o Nebo, ac o Fron, a Chlynnog Fawr
i lawr i'r dre. Maen nhw adre, wedi dod

bob un yn ôl i'w ddinas ei hun am ambell noson dros yr ŵyl.
Yn feirdd, twrneiod, llawfeddygon, a swyddogion mentrau iaith.

Grug Muse

Mae'n anodd anghofio

Mae fy therapydd yn credu na fyddaf yn dod dros y Nadolig hwnnw – ddim yn llwyr – er 'mod i wedi dilyn ei gyngor a sgrifennu'r stori lawr, yna llosgi'r darn o bapur reis er mwyn i'r atgof ddiflannu. Felly dyma fi'n ei chychwyn hi eto, gan obeithio bod ei gosod hi ymhlith straeon sy'n disgleirio 'da golau Nadoligaidd yn mynd i fod o help. I anghofio.

Roeddwn i'n naw mlwydd oed ac roedd fy ffrindiau i gyd yn cael siwts yn anrhegion Nadolig. Efallai eich bod yn dychmygu bois bach tua'r un oedran yn ymdebygu i griw o glercod bach mewn pin-streips, ond nid y math yna o siwtiau … Roedd fy mêts yn cael siwtiau cowbois a nifer sylweddol ohonynt yn cael siwtiau astronot, yn llawn bathodynnau NASA. Diwedd y 60au oedd hi a dyn newydd lanio ar y lleuad er mwyn rhoi hwb i'r farchnad dillad astronot 'nôl ar y ddaear. Felly gofynnais i fy rhieni am siwt yn anrheg Nadolig. Heb feddwl mwy.

Ar noswyl Nadolig y flwyddyn honno, bron na allwn i gysgu, wrth gwrs, gan fy mod yn dychmygu trechu disgyrchiant wrth arnofio mewn siwt arian

lawr Pwll Road ben bore, neu dynnu Colt 45 plastig
allan o'm gwregys yn gynt nag Alan Ladd neu John
Wayne wrth iddynt gadw'r patshyn o hewl tu allan i gapel
Bethlehem yn ddiogel rhag dynion drwg fel y James gang
ar eu ceffylau palomino.

Rhewodd amser tra 'mod i'n aros i glywed carnau ceirw Siôn Corn
yn crafu yn erbyn llechi'r to, a bron i mi feddwl i mi glywed clychau
bach arian yn tincial yno, neu sŵn sgathru bŵts cadarn du wrth i'r hen
foi trymlwythog lwyddo i ddod lawr simne oedd yn dew gan huddygl.
(Ma hwnna'n un o wyrthiau'r Nadolig i mi, sut mae'n llwyddo i wthio'i
gorff fel past dannedd lawr drwy'r shwt a hynny heb edrych fel rhywun
oedd newydd orffen shifft hir yng ngwaith glo yr Empire.)

O'r diwedd, o'r blincin diwedd, gwawriodd dydd Nadolig ac roeddwn
ar ras i weld beth adawyd yn bentwr dan y goeden blastig fu yn y teulu
ers dyddiau Herod. Roedd y sbesimen hwn yn cael ei raddol ddinoethi
o ddail artiffisial o flwyddyn i flwyddyn nes bod y brigau metal bron
yn foel, ac eto'r truan hwn oedd yn cysgodi'r peil o anrhegion.

Roedd yn rhaid aros i fy rhieni godi, ac unwaith yn rhagor
arafodd amser nes bod munud fel awr ac awr fel wythnos wrth
imi ddechrau oeri yn fy mhyjamas yn disgwyl amdanynt.

O'r diwedd – o'r diwedd – dyma nhw'n ymddangos, yn
barod i forio gan lawenydd wrth imi agor y presantau o'u
blaen ac roedd rhwygo'r papur, wrth gwrs, yn digwydd

mewn fflach er mwyn agor y bocs, *y bocs gyda'r siwt*. Nawr, doeddwn i ddim yn siŵr ai siwt astronot ynteu siwt gowboi roeddwn yn ei disgwyl ond yn sicr, doeddwn i ddim yn disgwyl siwt Acker Bilk.

Bydd rhai ohonoch yn rhy ifanc i wybod am Acker Bilk, neu ddim yn orwybodus am y cyfnod yn hanes jazz Prydeinig pan oedd y boi 'ma ar frig y siartiau, ond roedd yn enwog am sawl peth: am wisgo het fowler ddu, am ei farf ddu drwsiadus oedd yn tyfu ar waelod ei ên yn unig, am ei glarinét, wrth gwrs, a'r ffaith ei fod yn gwisgo wasgod streipiog bob tro, sef y nodwedd liwgar o'i olwg.

Edrychais ar yr het fowler blastig, a'r darn o farf ffug, plastig yr oedd yn rhaid i chi ei glipio'n boenus tu fewn i ffroenau'ch trwyn ac edrychais ar y wasgod blastig, edrychais hefyd ar y recorder ddaeth yn lle clarinét a cheisio gwenu, neu o leia geisio cuddio'r siom.

Ond roedd fy rhieni, Des a Morwena, am fy ngweld yn mynd allan ar y stryd, i arddangos fy anrheg i'm holl ffrindiau, gan fod hwn yn rhyw fath o draddodiad. Dathlu drwy rannu.

Gwisgais y siwt, a cherdded mas drwy'r drws bac i ganol stryd yn llawn cowbois ac astronots ac efallai y dylswn fod wedi cynnig serenâd o un o ganeuon Acker Bilk megis 'Stranger on the Shore' a gyrhaeddodd rif un yn America a rhif dau ym Mhrydain. Poblogrwydd y dôn oedd yr esboniad am fodolaeth y siwt efallai, ond wyddwn i ddim o'r dôn er mwyn diddanu'r

holl Neil Armstrongs a'r Buzz Aldrins, y Gary
Coopers bychain na'r ffigwr tebyg i Kirk Douglas
a ddrifftiodd lawr o Elgin Road i chwarae.

Edrychodd fy rhieni ar eu mab hyna yn gwisgo'i siwt,
heb syniad yn y byd taw hwn oedd un o'r anrhegion mwya
stiwpid y gallai bachgen naw mlwydd oed ei dderbyn.

Flynyddoedd yn ddiweddarach esboniodd fy therapydd fod
y dôn wedi ei hysgrifennu'n wreiddiol i ferch Acker, sef Jenny,
a bod Acker wedi ei hysgrifennu ar un darn o bapur a ddaeth i
feddiant gŵr o'r enw Leon Young maes o law. Fe wnaeth yntau
drefnu'r dôn syml ar gyfer llinynnau, a gwneud ei ffortiwn.

Ambell waith mi glywaf y dôn arswydus honno yn dod fel syrpréis
ar ryw radio'n rhywle ac rwy'n rhewi yn yr unfan. Achos rwy'n cofio'r
bore Nadolig hwnnw. Yr un rwy wastad yn ceisio'i glirio o 'mhen,
gan greu dalen wag yn lle'r atgof hwnnw, drwy daenu gwynder o eira,
a phlannu coeden bin gadarn yno, a gosod seren i ddisgleirio'n
ffyrnig drosto. Unrhyw beth i gymryd lle'r darlun o'r crwtyn
bach Charlie Chaplinaidd, gyda'i glarinét ffug, yn cerdded
mewn esgidiau o blwm a'r rheini'n llusgo'n drwm wrth
iddo fynd allan i gwrdd â nhw i gyd, y bois, yn eu
siwts un bore Nadolig ymhell, bell yn ôl.

Jon Gower

Y bachgen heb enw

Heno diawliaf ein Dolig,
herio'r 'moyn' sy'n chwarae mig,
cofiaf fod Rhagfyr brafiach
yn bod, un y bachgen bach
pan oedd tinsel lliw melyn
i ni'n aur, a'n llwybrau'n wyn,
y nos yn llenwi ein nen
â siwrwd gwyrth un seren.

Ie, diawliaf y coed Dolig,
rhai braf â dol ar eu brig,
a diawlio'r rhai sy'n dilyn
hen dwrw dall stori dyn;
O, am eu troi a rhoi rhin
Iesu ym mlas eu heisin
a rhoi'r bachgen heb enw'n
Frenin oes i'w Rhagfyr nhw.

Mari George

Feliz Navidad

Mae lle, mi wn, prin deirawr o Gaerdydd,
rhyw Fethlehem sy'n dal i'n galw'n ôl,
a gwelir yno 'mysg *poinsettia*'r ffydd
y Forwyn Fair a'r Baban yn ei chôl.
Ar lannau môr catholig glannau Sbaen
deil Gŵyl y Geni'n sanctaidd fel erioed,
yr addurniadau yn eu symlrwydd plaen
ac ar y sgwâr orenau ar y coed.
Y mae i'r Rhagfyr heulwen canol haf
heb unrhyw awel oer i rewi llyn,
ond eto hyd y prom ar fore braf,
er nad oes eira'n drwch dros bant a bryn,
fe â'r trigolion yn eu cotiau gaea'
am fod Nadolig gwynnach ym Marbella.

Idris Reynolds

Llatai'r Nadolig

Yr arwydd cyntaf o ddathliadau'r Nadolig a'r anrhegion oedd ar y gorwel, i blant Almaenig y 1970au, oedd dyfodiad y Nikolaus. Ar fore'r chweched o Ragfyr, a'r eira cyntaf yn gorchuddio tir trist mis Tachwedd, byddai'r Nikolaus yn ymweld â ni yn ddi-ffael. Byddai prynhawn y diwrnod cynt a'r bore wedyn yn amser hudol, llawn cyffro'r paratoi a phleser y darganfod.

Gwaith prynhawn y pumed o Ragfyr oedd paratoi y pâr mwyaf o fotas oedd gennyf. Am ei bod hi'n aeaf, roedd y botas wedi dod mas eisoes, ond yn frwnt gan law, llaid ac eira. Glanhau'n egr amdani felly, ac wedyn sgleinio a sgleino nes bod y botas yn lanach nag y buont ar unrhyw adeg yn ystod y gaeaf. Cyn mynd i'r gwely, dyma eu gosod ar bwys ffenestr yr ystafell fyw, dau bâr yn ein teulu ni – botas fy mrawd a fy rhai bach innau. Byddai cysgu'r noson honno mor anodd ag y mae hi, dwi'n tybio, i blant bach Cymru ar noswyl Nadolig.

Mor hapus oedd y deffro'r bore wedyn, y neidio allan o'r gwely a'r gwibio at y ffenestr. Yn ddi-ffael, byddai'r Nikolaus wedi llenwi'r botas ag oren ac afal, gyda Pfefferkuchen, gyda melysion, ac yn bwysicaf oll

gyda darnau o arian siocled sgleiniog mewn rhwyd fach. Pleser oedd rhoi popeth ar y platiau arbennig gyda phatrwm Nadoligaidd a fyddai'n ymddangos erbyn yr adeg hon bob blwyddyn, cyn mynd i'r ysgol a breuddwydio am wledd y prynhawn.

Fel oedolyn, dysgais y ffeithiau: dysgais mai sant Groegaidd o'r drydedd ganrif oedd Nicolas, dysgais mai ei ŵyl mabsant yr oeddem yn ei ddathlu ar y chweched o Ragfyr a dysgais mai fe oedd Santa Claus i'r cenhedloedd eraill. Yn fwyaf diddorol i mi, sylweddolais mai brithgof yw'r arian siocled mewn rhwyd o hanes Sant Nicolas a'i bwrs gyda darnau o aur ynddo a roddodd y sant yn rhodd ganol nos i dair merch dlawd. O edrych yn ôl, dwi hefyd yn pendroni ai cynllun cyfrwys yr oedolion oedd y ddefod o sgleinio'r botas, i sicrhau eu bod yn lân o leiaf unwaith bob gaeaf. Pa waeth imi'r ffeithiau ... milwaith mwy lliwgar yw cofio'r hud.

Marion Löffler

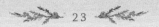

Englynion serch y Nadolig

Hei, del, mae hi'n Nadolig!
Pa ots am y tywydd pig?
Heno mae isio miwsig

siriol yr hen glasuron,
a chân dding-a-ling fach lon
i roi naws gŵyl i'r noson.

I'w sŵn y dawnsiwn ein dau –
creu hwyl o gylch carolau
a sieri, a hi'n hwyrhau!

Waltsiwn. Mi ddaliwn ddwylo
heb ofid. Hidied befo
os oer y glaw. Mae'r drws ar glo

a rhamant ar bob trimin.
Ninnau'n rhedeg trwy'r gegin
i glychau ein gwydrau gwin.

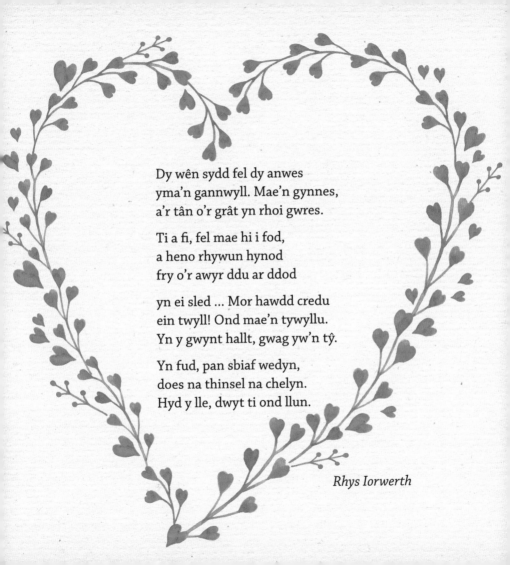

Dy wên sydd fel dy anwes
yma'n gannwyll. Mae'n gynnes,
a'r tân o'r grât yn rhoi gwres.

Ti a fi, fel mae hi i fod,
a heno rhywun hynod
fry o'r awyr ddu ar ddod

yn ei sled … Mor hawdd credu
ein twyll! Ond mae'n tywyllu.
Yn y gwynt hallt, gwag yw'n tŷ.

Yn fud, pan sbiaf wedyn,
does na thinsel na chelyn.
Hyd y lle, dwyt ti ond llun.

Rhys Iorwerth

Ar ôl i ti fynd

Bu'n rhaid i mi chwilio amdano
ar ôl i ti fynd.

Ar hyd Rhagfyr,
roedd fy llygaid fel lleuad lawn
yn ei geisio ym mhob ffenest siop.

Gwrando'n astud,
gan ddisgwyl dod o hyd iddo'n swatio
rhwng nodau 'Dawel Nos'.

Ceisiais ei greu fy hun
wrth gymysgu gwin ac orenau,
trio cofio, ac anghofio
blas dy eiriau.

Ond doedd dim arlliw ohono yn unman.

A phan ddaeth Rhagfyr eto,
ofnwn mai'r un fyddai'r stori;
fy mod wedi ei golli am byth,

ond wedi rhoi'r gorau i chwilio,
teimlais ei wres yn annisgwyl
wrth i gymydog alw draw
efo mins peis,

a gwelais ei sglein wrth glywed cyffro
llais bach yn hongian hosan.

A phan ddaeth y noswyl,
a minnau'n eistedd mewn eglwys oer
yn boddi yn sŵn yr organ

fe'i clywais, o'r diwedd,
yn ddeuawd glir, chwithig;

hiraeth llethol a hud y Nadolig.

Casia Wiliam

'Dyw hi ddim yn Ddolig
nes bo ni wedi bod ar yr olwyn fawr

Ers ugain mlynedd bellach, mae pob Nadolig yn cychwyn i'n teulu ni mewn caban bach ar olwyn fawr ffair Caerdydd. Ar noswyl Nadolig, mae'r pump ohonom ni'n swatio gyda'n gilydd mewn cell wydr unig sy'n siglo'n beryglus o uchel yn nannedd y gwynt. Ry'n ni'n sbecian yn ddall i safn ddychrynllyd y ddraig sy'n gorweddian ar do Neuadd y Ddinas, wastad yn gwylio. Y merched yn pledio'n daer ar y crwt i beidio â throelli'r caban o gwmpas ar ei echel; mae'r ddwy'n dwlu o ofan yr uchder, ond yn ofni'r gwymp at y ddaear yn fwy, a finne'n craffu'n fanwl ar bob bollt a thrawst yng ngwneuthuriad yr olwyn gan obeithio nad ni fydd y penawdau ar fore Nadolig: 'Bu damwain erchyll ...'

Y tro cyntaf i ni hongian uwchben Caerdydd ar noswyl Nadolig, cyn i'r trefniant droi'n draddodiad teuluol, eisteddai Saran fach, dim ond hi, rhwng fy ngwraig newydd a fi. Gyda'i mam y byddai hi'n treulio ei Nadoligau, ac felly dyma oedd fy Nadolig i gyda hi. Y flwyddyn ganlynol, ni'n tri oedd yno eto, ond y tro hwn gydag addewid am frawd neu chwaer fach yn y flwyddyn newydd.

Yna, gyda'r blynyddoedd, wrth i ffair Nadolig canol y ddinas dyfu, fe dyfodd ein teulu ni hefyd. Daeth Caspar, ac yna Syfi, i hambygio'i gilydd yn y sedd gyferbyn â ni: 'Os ti'n troi ni rownd 'to, ladda i ti!' Saran yn bygwth, Syfi'n sgrechian a Caspar wrth ei fodd ...

Yr hen arfer bellach ar noswyl Nadolig yw gyrru o'r gorllewin i Gaerdydd a chodi Saran wrth i'r dydd dywyllu. Yn Winter Wonderland, ry'n ni'n cerdded o gwmpas y stondinau towlu pêl a darts, cadw pellter oddi wrth yr *haunted house*, rhag ofn, ac edrych yn hiraethus ar y carwsél sydd â cheffylau ecsotig ag enwau Cymraeg jacôs. Pan o'n nhw'n fach ro'dd y plant wrth eu boddau'n cael reid ym mola Rwdolff a chwyrlïo trwy eira ffug, ond y dodjems piau hi bellach.

Yna, cyn ymlwybro'n griw tuag at y gwesty crand yng nghanol y ddinas am tships a pitsa – rhyw swper ola'r flwyddyn cyn trwco anrhegion a ffarwelio – byddwn ni'n prynu'n tocynnau ar gyfer yr olwyn fawr ac yn disgwyl ein tro. Un flwyddyn, fe ymddangosodd rhyw io-io metel gwyllt yn lle'r olwyn osgeiddig. Bu bron i Gyngor Sir Caerdydd sbwylo'n noswyl Nadolig ni'r flwyddyn honno. Ond fe ddysgon nhw eu gwers a gwahodd yr olwyn yn ei hôl – noswyl Nadolig sidêt piau hi i'r teuluoedd bach fel ein teulu ni.

A fry uwchlaw'r ddinas, fe dreuliwn ni eiliad o lonyddwch, moment dragwyddol o berthyn, o barhad, wedi blwyddyn o fynd a dod – tyfu iddyn nhw, heneiddio i ni – cyn i'r olwyn droi unwaith yn rhagor. Cyn bo hir bydd y plant yn chwilio am eu holwynion nhw eu hunain gan adael fy ngwraig a fi i siglo, jyst ni'n dau, yn y gwynt uwchben y byd, rhwng Nadoligau ddoe a fory. Ac er y tristwch a'r hiraeth, peth da fydd hynny, achos rhaid i'r olwyn droi ...

Ian Rowlands

Gwyn eu byd a'u Nadolig gwyn

Fore'r Nadolig a thrwy'r ffenest dalcen mae mwstwr pedair cenhedlaeth
yn cerdded ar balmant, i ble, wn i ddim.
Eu cyfrif wnaf: hen fam-gu, mam-gu,
y fam ifanc a'r bwten benfelen yn ei bygi glas.
Awr 'plygain' yw hi
ond pasio'r tŷ wna'r tylwyth â'u cyfuniad o'r newyddion da.
Llawenhau a wnaf innau, at symudfyw o linach sy'n ymestyn eu crochni
ar fore mor dyner-raslon. I ble? Wn i ddim.
Mae trymlwyth o anrhegion dan bob cesail
a'u siarad siprys yn datgan mai dydd i ddathlu yw,
o'r hynaf i'r lleiaf sy'n clebran dwylo ymysg y dwndwr.

Pa linach ragorach na'r pedair cennad yn dygnu arni –
er i ble? Wn i ddim.
Ataliad, ennyd i'r hynaf gael ei gwynt ati, a choleddu'r
ysbaid wnaf innau wrth i'r hirlwm o hen wraig
weld y pell yn bellach er i atblygion hydwyth
y fam ifanc laesu'n fraich dros ysgwydd i'w chymell ymlaen.

Cymer y fam ganol oed ofal o leferydd y lleiaf,
blith draphlith o genedlaethau ydynt erbyn hyn
yn fintai, ar droed i annedd rywle o'm golwg –
i ble? Wn i ddim.
Daw'r siars i hastu, a gwelaf mai'r un cerddediad sydd
gan y naill fel y lleill, genynnau'n atseinio'r oesau a fu.

Ac iach yw eu hachau heddiw,
a theimlaf yn eiddig o'u heiddo o roddion:
yn gnawd a lyna at gnawd, a'u rhawd yn rhodio'n ddi-bwys
wrth bererindota drwy gof eu hanes yn ddi-hid o'u cyweithas.

Adeg atgofion yw hi, cuddion mewn papur sidan
i'w hagor, siŵr iawn. 'Sgwn i ble? Wn i ddim.

Diflannant, af innau i ailosod pethau'n gymen
digon i'r dydd ei ddaioni – myfi fy hun.
Cynnil o ddigon yw'r hyn a fedraf. Hebddynt.
Eto, dychmygaf y rhain yn cyrraedd cronglwyd
a'u negeseuon yn rhannu a rhinio dwylo.

Tybed pa bryd y dychwelant y ffordd hyn?
   Ac o ble y dônt? Wn i ddim,
      ond gallaf hwyrach eu disgwyl,
         wedi teimlo i'r byw eu Nadolig gwyn.

Menna Elfyn

Yr anrheg perffaith

Tydw i ddim yn ŵr gwael,
ond waeth i mi gydnabod ddim;
dwi 'di prynu'r *shit* rhyfedda i ti dros y blynyddoedd, 'do?
Bag pegs Cymraeg oedd yn deud 'Bag pegs'.
Pyjamas Dolig rhy fach.
Sgarffia nad oeddat ti mo'u hangen.
DVDs sy'n dal i swatio yn eu seloffên ers llynedd
a chlustdlysau nad oeddan nhw, fel y gwyddost,
wir yn dy siwtio ... sori.

Rhestr siopa o'm methiannau ydi rhain,
tystiolaeth o'm panic munud ola'
a'm harweiniodd fel pererin gwyllt i ysbeilio siopau
yn farus am waredigaeth.
Tystion truenus i'r ofn cynyddol hwnnw
nad ydw i, er gwaetha'r holl flynyddoedd,
yn dy nabod di go iawn.

Ti'n dal i wneud ymdrech i wirioni, chwara teg,
ond mae dy wên gwrtais
wedi mynd, fel fy ngwallt,
yn deneuach bob blwyddyn.

Mi liciwn fedru agor dy ddirgelion
heb ymdrech, fel plicio croen tanjarîn
a'th gael yn feddal ac yn felys,
ac yn hawdd i'th blesio.
Ond ti'n rhy gyfrwys i hynny.
Fe fynni guddio rhagddof,
fel hud Nadoligau plentyndod.

'Paid â thraffarth 'leni, cyw,'
medda chditha dros d'ysgwydd
'I be 'rawn i lenwi'n tŷ efo mwy o drugaredda?'
A dwinna'n cytuno, fel y taeog yr ydw i.

Mi gawn esgus i'n gilydd mai ni sydd gallaf,
ein bod ni'n rhy ddedwydd,
rhy ymarferol, rhy gybyddllyd i boetsio
efo ryw sothach felly.
Fydd hi'n braf, am wn i,
peidio gorfod mynd drwy'r mosiwns 'leni,
er bod ni'n dau'n gwybod
bod 'na rwbath pwysig ar goll
fel coedan Ddolig sydd â hannar ei goleuadau wedi ffiwsio.

Ond hwyrach y gwna i feiddio
mynd yn groes i dy ddymuniad
a phrynu homar o bresant.
Rwbath 'sa ti fyth wedi'i ddychmygu ei brynu dy hun
ond a fyddai'n ffitio amdanat fel maneg
ac yn profi bod 'na fwy i ni na jyst
cyfleustra a chonfensiwn ac anwyldeb dof.

Efallai 'leni, y dof o hyd i'r allwedd i'th afradlonedd
wrth ddatgan fy nghariad yn ogoneddus faterol.
Efallai dylwn fentro popeth ar yr un trugaredd dirgel hwnnw
sydd mor sgleiniog ag aur, mor ddiarth â thus
ac mor drymlwythog o symbolaidd â myrr.
Carwn weld, am eiliad, wrth i ti rwygo'r papur
y rhyfeddod barus yn dy lygaid.

Rhyfeddod a fyddai'n disgleirio fel sêr
ac yn ein cynnal fel ffydd
drwy amheuon Ionawr
a dadrith Chwefror.

Gruffudd Owen

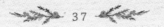

Gŵyl y geni

Fydd yna 'run cystal. Byth. Er fy mod i wedi bod mewn poen dirdynnol. Er nad oeddwn i adref yn bwyta cinio efo fy nheulu; ac mai'r cwrs cynta oedd cawl tomato tun, rhywbeth dwi'n ei gasáu. Roedd y twrci a'r sbrowts a'r grefi braidd yn oer, a doedd gen i neb am y bwrdd â fi i'w fwyta, dim cracyrs, dim gwin. Ond doedd ddiawl o ots gen i. Roeddwn i'n fam. Ac o fewn munudau i'r enedigaeth gofynnwyd dau gwestiwn i mi – oedd hi'n iawn i'r dyn papur newydd ddod i dynnu llun ac a oeddwn i am iddyn nhw gadw cinio i mi? 'Ydi siŵr' ac 'Oes plis' oedd yr ateb. A gyda Llinos, wyth pwys ac owns, mewn bocs plastig wrth erchwyn y gwely dwi erioed wedi mwynhau dim byd cymaint â'r cawl tomato llugoer hwnnw.

Fe dreuliodd hithau ugain mlynedd yn edliw i mi ei bod yn annheg bod ei phen-blwydd ar ddydd Nadolig. Ac efallai fod tueddiad, er gwaethaf ein holl ymdrechion, i'w phen-blwydd deimlo'n rhywbeth eilradd yng nghanol bwrlwm a phrysurdeb y Dolig. Ond o leiaf mae hi'n deall y broblem bellach gan i'w chyntaf-anedig hi gael ei eni ar y pedwerydd ar ddeg o Ragfyr, yr ail blentyn ar y trydydd ar hugain o Ragfyr a'r trydydd, Joseff – yr unig un sydd â'i enw'n cydnabod hyn i gyd – ar yr ugeinfed o Ragfyr.

Ac nid Llinos a fi yw'r unig rai
o'r teulu sydd wedi treulio'r Nadolig
yn meddwl am bethau pwysicach na
thinsel a mins peis. Ganwyd fy nain i
ar Ragfyr y chweched ar hugain, 1891.
Wn i ddim faint o'r gloch, ac mi ydw
i'n meddwl weithiau tybed a lwyddodd
fy hen nain – hen hen hen nain Joseff
– i fwyta'i chinio Dolig cyn i'r poenau
esgor ddechrau. Neu tybed a ddaeth
rhywun i ddweud wrthi y diwrnod
wedyn eu bod wedi cadw darn o
gig ac ambell ddanteithyn arall
ar ei chyfer, a'i bod hithau wedi
mwynhau'r sbarion oer hynny
fwy nag unrhyw bryd arall erioed?

Sian Northey

Y plentyn yn y llun

Mae ei llygaid yn sêr ac mae ei seren hi'n
mynd o grud ei llaw i'w gorsedd o aur
a minnau'n dal y plentyn yn y llun.

Mae'n dymor rhyfeddod â Mab y Dyn
ar fin dod i'r byd i'w wely o wair;
mae ei llygaid yn sêr ac mae'r seren fry'n

ei thywys ar hyd ei llwybrau ei hun;
ymlaen i ddathlu ei phen-blwydd yn dair.
Yn ei blaen yr â'r plentyn wedi'r llun

i'w Dolig nesa a hithau ar ddi-hun
yn llawer rhy gynnar â'r goeden yn ffair
o sêr yn ei llygaid a'i seren hi'n

dal i arwain y Doethion, yn arwain pob un
â'i roddion at y wyrth ym mreichiau Mair,
a finnau'n dal gwyrth o blentyn mewn llun.

Aeth sawl Dolig heibio, mae hithau'n hŷn,
mae'n fenyw ifanc a all fy llorio â gair.
Yn y llygaid llawn sêr mae ei channwyll hi'n
f'atgoffa y bûm innau'n blentyn, unwaith, mewn llun.

Aneirin Karadog

Y Seren

Cilio wnest o'm calon i, – a myn Duw,
Mae'n dywyll ... Ond yli!
Mae'r plant yn dod i'th godi,
Ac yn dy ail-gynnau di ...

Twm Morys

Coeden Nadolig

Fesul darn, rho wisg arni, – dyro sêr
yn drysorau drosti.
Un bore cei ei brig hi
a golau'r sêr 'di gwelwi.

Osian Wyn Owen

Yr addurn dieithr

Llusgodd y bocs drwy'r llwch,
cyn ei gario'n drwsgl
i lawr yr ysgol blyg.

Yr hyn oedd yn arfer bod
yn nhyllau'r cof ydyn nhw,
y llwch,
a'u sŵn a'u blas eu hunain,
meddyliodd.

Ac mae'r diwrnod yn mynd rhagddo
o angel i gelyn,
yn rhuban, yn hosan,
yn hardd.

Nes i waelod y bocs ei chyrraedd.

Meddyliodd i ddechrau
mai tamaid wedi dod i ffwrdd
oddi ar rywbeth arall ydoedd.

Carw,
a rhyw ledawgrym o aur ar ei gefn,
fel tasa 'na rywun wedi'i gosi â thinsel, unwaith.
Carw ciami,
ac un o'r rheiddiau yn rhydd.

Ni chofiai ei weld erioed o'r blaen,
a hithau wedi arfer
ymlwybro drwy'i hatgofion
wrth fodio pob un arall.

Y carw nad oedd yn perthyn,
ond eto,
roedd hi'n gyndyn
o'i daflu.

'Mi ffindiwn ni le i ti.'

Uwch y lle tân yn y gwyrddni?
Yn yr eira gwlân cotwm?
Ymwelydd arall yn y beudy?
Wrth y drws i bawb gael ei weld?
Rhwng y platiau celynnog ar y seld?

Na,
doedd o ddim yn ffitio'n unlla'n iawn.

Felly gosododd y carw i hongian wrth y teciall.
A phan ddaeth y gweddill
dros yr ŵyl
i gadw twrw,
i fwyta,
i garu'n annwyl,
bu'r teciall yn berwi sawl tro
a'r carw'n destun sgwrs,
ac ambell un yn ei gofio ...
'Y carw bach aur! Wrth gwrs!'
'Cr'adur ... mae 'di colli'i liw i gyd.'

Roedd o wedi perthyn,
wedi bod yno erioed.

Dyna od.
Allai hi daearu na welodd hi mohono o'r blaen.

Aeth yr ŵyl heibio,
yn un stwnsh o anrhegion,
yn ddathlu, yn ganu,
digonedd.

A daeth awr y 'chwynnu-cyn-cadw'
yn rhy fuan o lawer yn ei meddwl hi.

Ond roedd y carw
yn rhyfedd o styfnig.

Yr addurn dieithr.

Y carw ciami,
yr un lliw
â'r llwch.

Anni Llŷn

Blas ar yr ŵyl

Chwa chwerwfelys tanjerîn ym mis Tachwedd – dyna flas cynta'r ŵyl i mi. Fel arfer, byddai fy chwaer ymhell ar y blaen ac wedi sglaffio brechdan Dolig 'Pret' ym mis Hydref. Seren wib o brofiad sy'n diflannu mewn chwinciad, yn llawn llugaeron ac atgofion rhwng dwy dafell. Byddai Anti Enid yn barod gyda'i mins peis serennog cyn agor drws cyntaf y calendr Adfent siocled. Caent eu gweini â llestri tseina, ar liain claerwyn Anti Ada, a chanmoliaeth i rysáit Anti Nesta. Wrth i'r pestri brau menynog doddi ar dafod, diolchaf am deulu dedwydd.

Yn y man, dechreuaf bobi mins peis Nigella – croen clementin yw fy ychwanegiad innau. Gwrandawaf ar leisiau hiraethus Dean Martin a Sinatra a gwylio'r siwgwr eisin yn chwyrlïo'n storom o blu eira. Tywalltaf lymaid i mi fy hun o donic a'r jin eirin tagu y llenwais mewn potel 'nôl ym mis Medi. Blas ffisig i rai ond neithdar i mi yw persawr y peli bach porffor. A bydd fy ffiol yn llawn pan wnaf *eggnog* un pnawn – pleser unwaith-y-flwyddyn yn unig. Seren y parti acw yw'r hyfrydbeth llaethog hwn yng nghwmni cyfeillion o flaen y goeden. Cyfunaf hufen, melynwy, Baileys a chwisgi Bourbon i greu corwynt o wynwy a siwgwr mân cyn iddo droi'n fôr o falws melys. Byddai'r *meringue* yn union fel arwyneb cacen Dolig Mam, neu dirlun eira Eryri gan Kyffin Williams.

Yn goron ar y cyfan, cynhesrwydd nytmeg wedi'i gratio, a sain tincial chwerthin ffrindiau yn y cefndir.

Ganol Rhagfyr, estynnaf am bad papur Basildon Bond i ddrafftio rhestr siopa bwyd yr ŵyl. Mae'n tyfu'n golofnau niferus o ddanteithion nostalgaidd a fiw i mi anghofio'r un cynhwysyn. Mae gan bawb eu ffefrynnau. Salad crîm a phicls yw sêr y te Dolig yn ôl Lleucu, a hi hefyd yw brenhines y treiffl a'r grefi. Bûche de Noël – 'boncyff' o hufen a siocled – yw pwdin Dolig delfrydol Catrin Medi. Wedi'r coginio ers ben bore, a miri'r holl wledda, paned o de ac After Eights sydd at fy nant innau. Bydd hefyd ras flynyddol – yn bererindodau o siopau cornel – i ganfod blwch o Black Magic i 'nhad. Cadw pawb yn hapus yw'r delfryd bob tro, gyda bwyd yn falm naturiol rhwng y cecru – 'gormod o "Cookes" yn y gegin' – sy'n borth i Nadoligau'r gorffennol.

Saif cadair wag Mam yn gofeb wrth y bwrdd, ac yn bont tuag at wleddoedd y dyfodol.

Ond tybed sut beth fydd Nadolig mewn pandemig? 'Mond gofod i un 'Cooke' fydd yn y gegin eleni, a beth os golla i'r gallu i arogli a blasu? Beth yw Plan B Siôn Corn parthed hosanau Cadi a Greta, yn llawn cnau, botymau siocled a satswmas? Fydd yna ddim coctels o flaen y goeden, na rhannu bagiad o gnau castan, oni bai y caf wneud hynny mewn swigen. A gawn ni wledda yn sied Dad neu gydfwyta ar WhatsApp, gan dynnu cracyrs a rhannu'r jocs sâl â'n hunain?

Tybed oes cyfle annisgwyl am wledd go wahanol – yn seibiant o'r loddest arferol? Dim rhedeg a rasio, gorfwyta, gorwario; un diwrnod yn anrheg i'r enaid. Beth am ddiwrnod yn y gwely, neu fynd am dro cyn gwireddu 'swper olaf' dros ben llestri fy mreuddwydion? Neu beth am frecwast i ginio a threiffl i swper a thwrci am saith y bore? Does unman fel adre ond – am gwta 24 awr – beth am chwarae mig â'r arferion traddodiadol? Daw eto haul ar fryn, felly'n hytrach na 'mynd mynd mynd', beth am siocled poeth dan seren Bethlehem eleni?

Ystyriwn rannu'r hud blynyddol mewn ffyrdd pur wahanol – wedi'r cyfan, offrwm o gariad yw'r wledd draddodiadol.

Beth bynnag a ddaw, bydd popeth yn iawn – o bellter, ond gyda'n gilydd.

Lowri Haf Cooke

Nadolig yng Nghaernarfon

2019

Wyt ti'n cofio'r nos Nadolig …
dim ond ni'n dau efo'n gilydd
a'r geiriau rhyngom fel eira'n disgyn?

Wyt ti'n cofio'r noson honno …
dim ond ni'n dau 'flaen ein tân glo
a melyndra cyfrinachau mwg ein sigaréts
yn paentio hanes 'rhyd y to?

Wyt ti'n cofio'r noson beffaith …
dim ond ni'n dau'n deall un iaith
a gwin coch ar garped gwyn yn troi'n
cyfnod yn graith?

Wrth i wreichion fygwth troi'n fflama'
daeth yr huddygl i f'atgoffa
mai toddi yn y pen draw mae eira.

Caryl Bryn

Nadolig: Caerfyrddin y saithdegau

Llawysgrifen ddestlus athrawon ysgol Sul y Priordy a fyddai'n cyhoeddi bod y Nadolig ar y ffordd, ond nid cyn diwedd mis Tachwedd. Câi pob un ei ran unigol yn nrama'r geni neu oedfa'r Nadolig ar ddarn o bapur, a byddai disgwyl iddi fod ar y cof mewn da bryd. Ond doedd dim angen poeni, byddai hen ddigon o ymarferion cyn y perfformiad mawr, a'r sgript gyfan ar y cof, fel arfer.

Rwy'n cofio un oedfa Nadolig yn arbennig – un fwy modern na'r arfer, gyda'r ddiweddar Megan Williams (Addysg Gorfforol, Coleg y Drindod), a'r gweinidog, y Parch. T. James Jones (Jim Parc Nest), yn cynhyrchu. Roedd bariau cyntaf 'Also sprach Zarathustra' yn seinio o chwaraewr tapiau maint cês, plant mewn tracwisgoedd, a rhywfaint o redeg o gwmpas y capel a'r galeri. Anodd gwybod a oedd y diaconiaid yn cymeradwyo; a dweud y gwir, roeddwn i'n gobeithio nad oedden nhw.

Un bore dydd Sadwrn cyntaf ym mis Rhagfyr, roedd fy mam i lawr yn neuadd San Pedr yn paratoi at Ffair y Blaid, a 'nhad yn y garej. Gwelodd Mari fy chwaer (naw oed) gyfle i chwilmentan. Es innau (chwech oed) wrth ei chwt, er na wyddwn beth oedd nod y sgowt. Ond fe'm trawyd ag ergyd a gofiaf byth o weld teganau o dan y gwely yn yr ystafell sbâr, a deall goblygiadau hynny'n syth.

Roedd llawer o bartïon i edrych ymlaen atynt. Parti'r ysgol Sul yn y festri, gyda'r mamau wrth y lluniaeth yn y gegin wydrog a'r meinciau pren yn rhesi bob ochr i'r byrddau; parti Ysgol y Dderwen yn y neuadd bitw (ar y pryd), a minnau'n adnabod sanau Siôn Corn (y gweinidog ydoedd), a pharti plant staff y Drindod, lle roedd cyfle i lithro yn nhraed fy sanau fy hun ar hyd llawr gloyw ffreutur Theatr Halliwell.

Canu – roedd digon o hynny'n digwydd. Gallai'r Nadolig ymddangos yn bell i ffwrdd yn fy arddegau, gyda chynifer o berfformiadau'n rhwystrau o'i flaen. Nid oedd canu yn y capel ac yng nghyngherddau'r ysgol gyda'r nos yn broblem. Y cas beth oedd perfformio'r cyngerdd Nadolig yn ystod y dydd o flaen merched yr ysgol (cyn dyddiau Ysgol Bro Myrddin), a gweld sawl un yn crechwenu.

Yn y chweched, cafodd criw ohonom fodd i fyw yn paratoi ar nosweithiau Sul i fynd i ganu carolau mewn pedwar llais. Hyd heddiw, rwy'n dal i gofio geiriau 'Wele gwawriodd' ac 'O! Deued pob Cristion' ac ni allaf ganu 'Tawel Nos' heb glywed dwy o'm ffrindiau ysgol yn canu'r alto yn y cefndir.

Ychydig cyn y Nadolig, byddai Mam-gu'n cyrraedd ar y bws o Aberaeron, a'i bag brown *two-tone* yn bochio'n llawn o nwyddau y gellid eu cael o farchnad Caerfyrddin, ond bod popeth o sir Aberteifi yn well, yn enwedig y twrci. Byddwn yn edrych ymlaen at glywed ei 'Hawyr bach!' a'i 'Felly'n wir'. Byddai'r cardiau a'r draffts yn dod mas, a minnau'n cafflo wrth weld adlewyrchiad y cardiau yn ei sbectol hi.

Roeddwn i'n falch iawn o'n coeden dinsel arian cyn gweld rhai 'go iawn'. Roedd hi'n enfawr (6 throedfedd 6 modfedd, yn ôl y bocs

cardfwrdd). Dôi i lawr o'r atig bob blwyddyn, ac wedi'r rhyddhad o weld bod y ddwy set o oleuadau'n dal i weithio (yn eu bocsys), byddwn yn mwynhau ailgynnau fy nghyfeillgarwch â'r addurniadau ac yn eu gosod ar y canghennau. Byddai'r goleuadau i'w gweld o ochr draw dyffryn Tywi, wrth fynd i lawr 'rhiw'r jael', o wybod lle i chwilio amdanynt.

Roedd y Plygain yng nghapel Heol Awst yn dynfa fawr pan oeddwn yn fy arddegau. Gyda'r Parch. Towyn Jones yn arwain, roedd cymaint o ddrama'n perthyn i'r cyfan – y codi'n gynnar, tywyllwch yr Hen Destament yn y rhan gyntaf a goleuni'r Testament Newydd yn yr ail ran, heb sôn am yr edrych ymlaen at weddill yr ŵyl ar ôl yr holl berfformiadau a'r partïon. Nadolig Llawen!

Elin Meek

Mamau'r Nadolig

Nadolig diddig 'slawer dydd
oedd bod heb wybod dim
o werth am boen meddwl,
nac am weddi wedi'r golled,
a'r gollwng gafael ar dawelwch.

Rhôi ei chrwt ei fryd ar whare,
a gwirioni ar agor anrhegion
drud, di-ri' heb gyfri'r gost
na'r gofal o baratoi ar gyfer
dathlu'r dydd a'i gelwydd
gole. Ei Nadolig oedd dwlu
ar lego a choelio chwedl.

Ond, tu cefen i'r llenni,
mynnai drama wahanol
le i'w llwyfannu: stori
rhwng y gwir a'r gau am
fam a ofnai fod heb fab;
yn ddiau roedd arwyddion
yn hanes ei eni, y gallai ei
golli: treth taith faith i fab
a oedd, unrhyw ddydd nawr,
ar ddod yn rhydd o'r groth.
A fyddai can milltir o siwrne'n
rhy hir a gorarw i gario Iesu
ar asgwrn main gwar asyn?

Yna deir â thro arall i'r stori:
heb le 'Methlehem i Mair
gael cysur gwely, am fod
pob llety'n llawn, aed â hi
i'w eni dan do, ar siawns,
i ryw sied â'i hochrau'n
agored i'r pedwar gwynt.

Darllen twist arall yn hynt
ias y stori: yr adyn Herod
yn aros ei dro i fwrdro cryts
di-ras, a heriai rym ei seren
i hawlio ei lle uwch Jiwdea,
ac i oleuo glan Môr Galilea.

Ond ryw nos, ar ei deyrnasiad
anwar, fflachiodd y seren arall –
ei thaith o'r dwyrain yn wyrth
ddieithred â deryn yn croesi
pellteroedd. Seren od y geni –
serch ei dileu, deil i'n goleuo.
Er hyn – ni cheir yn y chwedl
unrhyw gais i osgoi cur y gwir.

Y mae i'w haur, ei thus a'i myrr,
y tair anrheg, bob un ei neges.
Aur yw'r arwydd o'r her a roir,
ymhen amser, i fileindra Herod;
arwydd yw'r thus o eiriol ar ran
eraill; eneinio'r marw a wneir â myrr.

I Mair, y myrr yw marw ei mab.
Er ei halltudio ar wyllt i'r Aifft
a'i thwyllo dro i'r tywydd droi,
stori'r myrr a'i storm a'i heriai
o hyd, o'i dychwelyd, i chwalu
anrheg ei chroth ar Golgotha.

Marw tywyll ei chrwt fu'i chroes.
Marw cas, annhymherus, a Mair
mwy'n forwyn-fach dda i ddim
ond i'w thowlu fel bru i'r brain.

A'r fam arall? Ei chroes fu marw
ei chrwt hithau mor swta; y ddwy,
yn un â'r fam ddaear, yn gorfod
cymodi â rhaib ronc eu cam-drin.

Heddi, ddydd ei Nadolig anniddig,
mae hi, a'i gweddïau heb eu hateb
eto, yn sarn, fel y darnau coll, unig,
datgymaledig o lego ar lawr ...

Jim Parc Nest

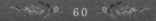

Y cwrdd diaconiaid

Roedd golwg ofidus ar fugail y praidd,
y parchedig weinidog, ffaelu siarad braidd.

Estynnodd am hances a chlirio ei lwnc,
'Gyfeillion, ein Pasiant Nadolig yw'r pwnc …'

'A!' gwenodd hen ddiacon ym mhen pella'r sêt,
'Y Pasiant Nadolig. Ardderchog. Grêt.'

'Nid felly, eleni,' meddai'r gweinidog drachefn,
'mae arna i ofn bydd rhaid newid y drefn –

chi'n gweld, daeth ymwelydd i'r festri am sbec,
ac mae'r newyddion, ffrindie, yn dipyn o glec.

Rhyw Herod o swyddog o Neuadd y Sir,
ei siaced e'n felen a'i restr e'n hir.

Y dyn *Health and Safety* – ac mae'r cwbwl ar ben!
Mae'r sioe'n rhy ddansierus! Mae'i 'di canu! Amen!'

'Dwedwch,' meddai'r diacon, yn dawel o hyd,
'Beth yn gywir yw'r broblem? – Dim ond holi, 'na gyd.'

'Y broblem?! Y broblem?!' Aeth y gweinidog i'w got,
a thynnodd y rhestr. 'Wel ... y cwbwl lot!

Mae'r seren yn gwenu ar *wattage* rhy gry'
ac adenydd yr angel o'r math anghywir o blu.

Sandalau'r bugeiliaid? Dim digon o grip,
a'r llieinau llestri ar eu pennau'n rhy slip.

Clogyn Balthasar? Dim digon o hem,
ac am y lletywr, dim *spy hole* – dim clem.

Roedd popeth yn iawn gyda Joseff a Mair,
ond mae'n erbyn y gyfraith rhoi babi mewn gwair.'

Dyrchafodd ei lygaid o'r rhestr mewn poen,
'A sdim hawl cael asyn, nac ychen nac oen.

"Mae'n rhaid wrth drwyddedi," meddai'r dyn, "cyn cael sw"...
Annwyl gyfeillion! Mae hi'n halibalŵ!

Mae'r Naw Llith a Charol *a'r* Plygain dan y lach,
ar gownt y canhwyllau – pob fflam a phob fflach.

Does dim byd amdani ond canslo'r holl sioe,
dyna yn syml oedd byrdwn y boi.

Canslo'r holl basiant, pob cân, gair a gwisg,
dileu pob un adnod, mae'n ormod o risg!'

Distewodd y gweinidog, roedd y pwyllgor mewn sioc,
a dim smic i'w glywed ond cerdded y cloc,

cyn holodd yn bwyllog yr hen ddiacon craff ...
'Ond pwy wedodd erio'd bod ffordd Bethlem yn saff?'

Mererid Hopwood

Sglein y tinsel

Yn y dyddiau gwyn hynny, pan oedd Duw yn byw rhywle yn y bwlch rhwng yr Wyddfa a Mynydd yr Eliffant, y tu hwnt i ruban symudliw afon Menai, y clywodd hi glychau'r ceirw am y tro cyntaf ar noswyl Nadolig. Roedd yr 'hen ŵr mwyn' a'i sacheidiau o anrhegion ar ei ffordd!

Ac eithrio tincial y clychau, nosweithiau tawel yw'r holl noswyliau Nadolig hynny yn ei hatgofion. Mae hi'n bump, chwech, saith 'cyn dyfod y dyddiau blin' diweddarach. Tawelwch disgwylgar, a'r sêr yn crynu fel y gloÿnnod byw braf yn ei stumog. Mae'r byd i gyd, fel hithau, yn dal ei wynt, a diniweidrwydd yn dal i fod mor loyw â'r tinsel ar goeden fythwyrdd y stafell fyw.

Pan mae'n deffro i fore'r Nadolig, bron nad oes ganddi ofn estyn am ei hosan lawn ar waelod y gwely gan gymaint ei hud. Ond mae ei bysedd yn mynnu mynd eu ffordd eu hunain, yn bodio, teimlo, tynnu'r rhyfeddodau bach sydd wedi eu gwasgu'n gyffroadau yn yr hosan ffelt liwgar.

Rhedeg mewn i stafell wely ei rhieni gyda'i chwaer, wedyn, a dotio wrth weld y ffrogiau Dolig newydd y mae ei mam wedi eu gwnïo ar eu cyfer eleni eto.

Ac yna mae'n ddeg oed, y Nadolig yn dechrau colli ei sglein a'r atgof yn un poenus. Dagrau digymell ei thaid yng nghanol y wledd, yn galaru am ei nain fu farw ddeuddydd ynghynt. Fedar ei thafod ddim dod o hyd i'r geiriau cywir i'w gysuro. Mae'n gwingo yn ei sedd, a'r twrci a'r trimins yn stwmp ar ei stumog.

Bedair blynedd yn ddiweddarach, ddeuddydd union cyn y Nadolig unwaith eto, bydd salwch gwahanol, anos ei ddiffinio a'i wella, yn bwrw ei gysgod hir dros y dathliadau. Fydd ei mam ddim yn gwnïo ffrogiau parti o hyn allan, a bydd 'nyrfys brêcdown' a 'dipreshion' yn dod yn rhan hegar, gyson o'i geirfa. Bydd yn dal ei gwynt am Nadoligau wedyn, rhag ofn, yn gwylio am yr arwyddion, y newidiadau cynnil yng ngwedd ei mam, hyd nes y bydd ei phlant ei hun yn ddigon hen i ddod â'r hud diniwed yn ôl i'r ŵyl. Hithau'n anadlu'n esmwythach ac yn edrych ymlaen, yn clustfeinio am y clychau, a'r tinsel yn gloywi.

Annes Glynn

65

Riweindio

Dyma be hoffai o'i gael eleni
i'w roi i'r fechan. Hoffai roi iddi
gopi carbon o'i hen Nadoligau'i hun,
y rhai sy'n atalnodi'i blentyndod,
a'r cof yn euro'r cyfan fel haul isel.

Festri lawn. Pasiant plant ar ei anterth:
cybolfa absŵrd o Teenage Mutant Hero Turtles,
llieiniau llestri dros lygaid, a'r Iesu
rywle'n ei chanol hi'n y gwair.
Adfyrt Yellow Pages ar y bocs eto fyth.

Pan oedd Quality Streets, mae o'n siŵr, yn fwy o faint,
pan oedd rhew yn rhew a gwynt yn wynt go iawn,
dim ond pedair sianel i fflicio rhyngddynt drwy'r pnawn,
a phunt yn drwm mewn poced. Pan gwnâi coeden blastig
y tro yn *champion*, yn arogli fel atig

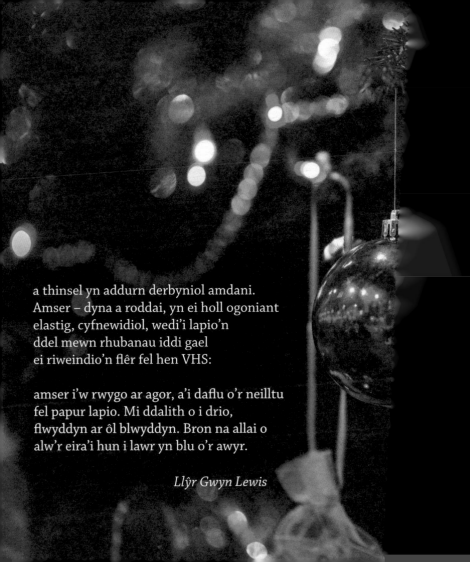

a thinsel yn addurn derbyniol amdani.
Amser – dyna a roddai, yn ei holl ogoniant
elastig, cyfnewidiol, wedi'i lapio'n
ddel mewn rhubanau iddi gael
ei riweindio'n fflêr fel hen VHS:

amser i'w rwygo ar agor, a'i daflu o'r neilltu
fel papur lapio. Mi ddalith o i drio,
flwyddyn ar ôl blwyddyn. Bron na allai o
alw'r eira'i hun i lawr yn blu o'r awyr.

Llŷr Gwyn Lewis

Rhwystrau'r Nadolig

Ers agor ffenest gynta Rhagfyr, doedd
Nadolig i ni'r plant ond rhestr faith
o rwystrau mân, defodau difyr oedd
yn bleser i'w cyfarfod ar y daith
i Fethlem Santa Clos a'r stabl lawn
anrhegion ar y bore gorau-'rioed
blynyddol yn y *lounge* (nad oedd yn iawn
mynd iddi heb fod slipers am bob troed).

Ond wedi dod i ben â'r rhwystrau hyn,
pob parti, cinio, cyngerdd yn eu tro,
ni fentrem edrych mlaen i'r bore gwyn
hyd nes aem heibio i'r bwgan mwya 'to,

oherwydd byddai'r bore'n bell i ffwrdd
hyd nes aem heibio i Ddrama Geni'r cwrdd.

Ceri Wyn Jones

Doli

Dwi'n cofio arogl cledr ei llaw.

Mae'n siŵr fod 'na dwrci wedi bod yn rhostio yn y ffwrn, llysiau yn ffrwtian ar y stof. Mae'n siŵr fod rhuban o arogl bwydydd melys y Nadolig wedi bod yn plethu ei ffordd drwy'r tŷ ers wythnos a mwy – sinamon a chlof, siwgr brown a marsipán. Ond dydw i ddim yn cofio'r arogleuon yna, achos y flwyddyn honno, dim ond hi oedd yn bodoli.

Ro'n i wedi gobeithio amdani, fy ngreddf famol wedi fy arwain i bori dros y dolis yng nghatalog Argos ers canol mis Medi. A dyma hi. Yng ngwaelod y sach Nadolig blastig wen, dacw hi, fy mabi cyntaf. Babi dol oedd bron mor fawr â fi – ei phen, ei dwylo a'i choesau yn blastig caled a'i chanol yn feddal yn ei *babygro* gwyn. Fe godais i'r babi dol – Ela, fel cafodd ei henwi'n ddiweddarach – allan o'r sach Nadolig fel petai 'nwylo bach saith oed i'n cario babi bach go iawn.

Roedd hi'n arogli mor newydd. Plastig newydd sbon, ac am ryw reswm, roedd ei dwylo bach plastig yn fy swyno yr un fath â dwylo bach, bach, bregus babi newydd-anedig. Roedd 'na arogl ar y cledrau, arogl newydd-deb ym mhlygion bach ei chnawd plastig. Eisteddodd Ela ar fy nglin wrth i ni gael ein cinio Nadolig, a minnau'n codi'r het bapur

o'm llygaid bob hyn a hyn
i edrych i lawr arni.

Daeth am y dro Nadolig
efo ni, a gorweddodd yn fy nghôl
wrth i ni wylio'r teledu bach i weld
beth oedd Dic Deryn a Carol
Gwyther wedi'i wneud efo'u
Nadolig nhw. Yn y nos, wrth i
Mam fy nal yn ei breichiau tra
oedd hi'n darllen un o'm llyfrau
newydd i mi, roeddwn innau'n
dal fy mhlentyn bach plastig.
Tair cenhedlaeth, a'r golau ar y
goeden bron cyn dlysed â'r babi
dol oedd yn fy ngwneud i 'chydig
yn debycach i Mam.

Manon Steffan Ros